D1045921

Pour Madeline

Première édition dans la collection *lutin poche* : février 2003

Titre original : « Bark, Georges », Mickael di Capua Books, 1999, Harper Collins Publishers, USA
Texte français de Claude Lager
Loi numéro 49 956 du 16 juillet 1949 sur les publications
destinées à la jeunesse : mars 2000
Dépôt légal : novembre 2008
Imprimé en France par Mame Imprimeurs à Tours
ISBN 978-2-211-07035-5

Jules Feiffer

# ABOIE, GEORGES !

Pastel
lutin poche de l'école des loisirs
11, rue de Sèvres, Paris 6e

La maman de Georges dit :

« Aboie, Georges ! »

**Georges fait : « Miaou. »**

«Non, Georges», dit la maman de Georges.
«Les chats font miaou mais les chiens font wouf.
Allez ! Aboie, Georges !»

Georges fait : « Coin coin. »

«Non, Georges», dit la maman de Georges.
«Les canards font coin coin mais les chiens font wouf.
Allez ! Aboie, Georges !»

Georges fait : « Oink. »

«Non, Georges», dit la maman de Georges.
«Les cochons font oink mais les chiens font wouf.
Allez ! Aboie, Georges !»

Georges fait : « Meuh. »

**La maman de Georges emmène son fils chez le vétérinaire. «Essayons de découvrir le fin fond de cette histoire...» dit le vétérinaire. «Aboie, Georges, s'il te plaît!»**

Georges fait : « Miaou. »

Le vétérinaire plonge la main à l'intérieur de Georges…

…et en retire un chat.

«Aboie encore, Georges!»

**Georges fait: «Coin coin.»**

Le vétérinaire plonge la main loin à l'intérieur de Georges…

…et en retire un canard.

«Aboie encore, Georges!»

Georges fait: «Oink.» Le vétérinaire plonge la main loin, loin, loin à l'intérieur de Georges...

…et en retire un cochon.

« Aboie encore, Georges ! »

Georges fait : « Meuh. »

Le vétérinaire enfile son plus long gant de latex…

…plonge la main loin, loin, loin, loin, loin, loin, loin, loin, loin, loin à l'intérieur de Georges…

…et en retire une vache.

«Aboie encore, Georges !»

Georges fait :

La mère de Georges est tellement émue qu'elle embrasse le vétérinaire...

…et le chat, et le canard, et le cochon, et la vache.

Sur le chemin du retour, elle veut que tout le monde dans la rue entende aboyer son fils. « Allez ! Aboie encore, Georges ! » dit-elle.

# Et Georges fait :

BONJOUR !